un sol azul,

un ojo mirando al infinito,
una paloma de luz humedecida,
un ojo sigiloso resbalando en la noche,
el siniestro pudor ante el misterio;
el abismo al acecho,
el agua nombradora
del animal,
a diario fiero y tierno;
una raíz bajando hacia la estrella,
malabarismos, trucos
para entender la luz
a veces más oscura que la sombra,
rigen esta punzante pasión
por la palabra.

julio:

siempre he creido y
he querido creer que tiene
que haber muchos como
nosotros rompiendo el
cerco de silencio nunca
es cotidiano encontrarnos,
siempre es esperanza -
y alegría, por todos
nosotros (el nosotros
grande) un abrazo para
ti y Cecilia,

Angelamaria
28 de junio - 83
en ríopiedras,
puertorrico.

animal fiero y tierno

animal fiero y tierno

animal fiero y tierno

ángelamaría dávila

ediciones huracán

Primera edición: Qease, 1977
Segunda edición: Ediciones Huracán, 1981

Portada y diseño: Angelamaría Dávila
Realización: José A. Peláez

Foto contraportada: Lilliana Ramos Collado

©Ediciones Huracán, Inc.
Ave. González 1002
Río Piedras, Puerto Rico 00925

Impreso y hecho en Puerto Rico/
Printed and made in Puerto Rico

Núm. de Catálogo Biblioteca del Congreso/
Library of Congress Catalog Number: 81-68085
ISBN: 0-940238-50-0 ˙

1

autodedicatoria

*"las voces generales, al acecho
me gritan por la calle sobrenombres:
'¿no eres tú la amorosa
que busca entre las bestias
la fuente de su estirpe?' "*

1969

8

2

dedicatoria

a mi abuela,
la fundadora de la ternura;
a mi madre,
fuente de vida inagotable;
a sylvia y a julia
por la canción interminable;
a lolita lebrón,
por la fiereza;
por lo que han hecho de mí
como animal terrícola, hembra,
americana, antillana, boricua,
para SIEMPRE.

1976

primera región

frontera
con
el
aire

*"una cáscara dura
que detiene su límite
en la mano cercana
y en la lengua más próxima."*

Pero, ¿desde qué fondo se incendió la paloma
que me dictó aquel signo enanito y potente?
¿llamando hacia qué labio primogénito?
¿dónde la atrocidad marcó su símbolo?
¿en qué dolor dolió la primer época?
¿en qué árbol?
¿en cuál meñique,
en qué dedo gordísimo del pie
hay que colgar la punta de la estrella inexistente?
hay un duende jueyero,
uno con un ojazo como de luna turbia,
el que descifra y dice los cangrejos oscuros
su historia amoratada desde cuando eran niños.
hay que ver:
hay que ver cómo canta la huella,
y en qué olvido
y con qué estrella opaca se rasca la memoria,
hay que anotar al calce de todos los crepúsculos
agujeros y luces,
sombras, muñecas rotas, espejos olvidados...

antes de que el dolor tocara
con la sombra la puerta de mis labios
había ayes precediéndolo.
mucho antes
de sus terribles oes en el aire,
de su ere rasgando la niebla rara del silencio:
ahogado,
un grito presintiéndolo,
un agua revolviéndose
y el primer manantial,
amenazado,
preparando su oficio de lágrimas futuras.
antes de que mi boca,
antes de que mi lengua revolcándose
sospechara su símbolo
sabía la garganta del temblor, de mi víscera
del centro de mi vientre sabio,
simple y profundo
como todos los centros encentrados del mundo.
antes del grito colgado con palabras,
mi músculo
se resistía rígido ante el espanto.
silencio.
los ojos tragadores,
temblor, carrera, luces,
la sombra del asombro gestando,
gestionando,
antes de que el dolor golpeara
para siempre
la puerta de mis labios.

Cercanamente lejos
de esta pequeña historia
expandida hacia todo deteniéndose.
se oye que dicen:
qué importa tu tristeza,
tu alegría,
tu hueco aquel sellado para siempre,
tu pequeño placer,
tus soledades
mira hacia atrás, y mira a todas partes.
yo miro,
de millones de pequeñas historias
está poblado todo:
¿importa que la lágrima
que a veces me acompaña y me abandona
se funda con el aire?
¿importa si mi cólera
detiene una sonrisa?
¿importa si algún rostro
tropieza con mi puño,
si algún oído atento
rueda hasta mi canción imperceptible?
¿qué importará, me digo
cuánta risa futura
fluya de mi placer hacia otra lágrima?
¿importa si mi pena
alegra la bondad de un caminante?
mirándome las uñas
y rebuscando esta pequeña historia
por dentro de mis ojos diminutos
descubro la partícula gigante
donde habito.

Con el recuerdo al hombro,
   pero fíjense, ¿ah?
      qué muchas trampas hondas nos detienen
y cómo con lo hondo nos movemos.

y nos vemos aquí
con nuestra gran pequeña cabecita
la diminuta cabezota
recordando el futuro imaginario
inventando y planeando
ese poderosísimo pasado.
¿y es o no es que todavía hay muchos
que insisten en creer en el presente
y que dicen que viven presentemente?
que no conjugan nunca el verbo ser,
ni estoy,
pero que allá en el fondo de sus neuronas mágicas
habitan implacables los fuí con los seré,
los fuimos con seremos.
¿y es o no es
que la cabeza sola se encarga minuciosa
de anular con astucia
esas conjugaciones posibles en el tiempo?
eres soy, fuí, seré, pude haber sido
en la inconmensurable sucesión simultánea
del cerebro;
y serás fuiste, fuimos, seremos, estaremos
         enclaustrados
      debajo de tu cráneo

mientras vives, viviste, vivirás,
hasta tu muerte.

ante tanta visión de historia y prehistoria,
de mitos,
de verdades a medias —o a cuartas—
ante tanto soñarme, me ví,
la luz de dos palabras me descolgó la sombra:
animal triste.
soy un animal triste parado y caminando sobre un
[globo de tierra.
lo de animal lo digo con ternura,
y lo de triste lo digo con tristeza,
como debe de ser,
como siempre le enseñan a uno el color gris.
un animal que habla
para decirle a otro parecido su esperanza.
un mamífero triste con dos manos
metida en una cueva pensando en que amanezca,
con una infancia torpe y oprimida por cosas tan ajenas.
un pequeño animal sobre una bola hermosa,
un animal adulto,
hembra con cría,
que sabe hablar a veces
y que quisiera ser
un mejor animal.
animal colectivo
que agarra de los otros la tristeza como
[un pan repartido,
que aprende a reír sólo si otro ríe
—para ver cómo es—
y que sabe decir:
soy un animal triste, esperanzado,
vivo, me reproduzco, sobre un globo de tierra.

fechas para
esta región:
1: 1966,
2: 1974,
3: 1973,
4: 1972 y
5: 1971.

segunda
región

mundo musgo
angelita

*"hay cierto territorio que
no sabe de tiempo ni distin-
gue relojes."*

Cuando revienta un rayo
o una nube
y cuando la tiniebla se ha poblado de sonidos
[clarísimos
y una imagen oscura en la cabeza,
qué bueno cobijarse
apretarse unos contra los otros
y un poco más los que mejor se quieren
ese codo cercano,
esa mano,
una mirada clara de frente,
algo rico y caliente de beber;
cómo va disolviéndose
ese temblor tan malo,
un jugo espeso y áspero
que como que deshace la carne
como si se ablandaran las junturas
de los huesos.
pero ¿qué importa el ruido de allá fuera?
¿habrá partido el rayo algo importante?
se va entibiando uno
y ya la sangre va corriendo mejor.
¿habrá causado daño la lluvia?
y el calor de la piel más cercana que dice:
vamos a esperar juntos que salga el sol.

"es de muchas soledades que
se funda la compaña"

no digas más:
sabemos que de cualquier rincón
salimos cualquier día
hace miles de años,
centenares de vigilias atroces,
hace mucho camino construído
con la fuerza del sol que nos consume,
con la luna chiquita que tragamos
el día que nacimos,
(y qué grande se ha puesto,
parece que fue ayer que estaba nueva)
yo sé que nos soñamos
con la fiereza del que enloquece solo,
desdoblando horizontes de bolsillo
con esa incomprensible nostalgia del futuro
que nos denuncia.
ahora nos miramos
con el asombro más natural del mundo,
con susto de misterios claros como amapolas
con la candela fresca
de todos los encuentros amorosos;
ahora resulta
que no estábamos solos,
que somos muchos,
ahora nos vestimos con el cansancio diario
brincando de alegría
con un montón de estrellas por un ojo
y un lagrimón eterno por el otro;
con esa misma angustia
mil años compartida
sin saberlo.
sabemos que hace tiempo
tuvimos la confusa certeza de este día
en que dejando atrás la soledad aquella
podríamos decirnos:
me siento solo
y sé que tú lo sabes;

y sonreírnos juntos,
detestarnos a veces con ternura,
hablar a borbotones
con las palabras nuevas ya sabidas
para estrenar un sueño con la fiera alegría
de enloquecernos juntos.

a don césar vallejo
muela de piedra, masticador
de todas las penas humanas, poeta
invencible, querido hombre
acorralado por el dolor,
por la ternura
de su lengua
semillosa;
su lengua
fundadora
entre pedruscos
y terrones de esas
espigas como palabras;
regadas con canales
de un llanto de montaña;
con un hilo de agua
filoso de dolencia:
con cariño y respeto.

aquel amigo
que me golpea tiernamente con su diminutivo
¡qué aumentativo suena!
qué oreja aumentativa escucha las cositas,
y qué cosotas suenan.
qué cositas lejanas se escuchan las cosas importantes.
qué pequeñitos se ven los cataclismos,
los meñiques se me llenan de miel,
el abismo ya es grieta
y la luna se puede recoger en un ojo
como una lágrima detenida.
la viga es paja ínfima;
en un minuto
los carteles se vuelven miniaturas
y en la puntita aguda
de un alfiler increíble
se refugia el dolor,

como un acento en la í, ahí.
cuando llueven los itos
la sombra ancha se hace un filito breve;
es como levantar la piedra esdrújula
y descubrir un angelita mundo musgo y húmedo
es,
como chiquitear el ruido y rumorarlo
a vocecita limpia,
a cantacito (chico,
¡habráse visto cosa más grande!)

anto poco y es tanto
tanto poco dolor que se agiganta
tanta poca alegría reluciente.
aquel ojo mi hermano,
ese pedazo mío de mano
con sus dedos en orden
que me saluda,
aquel fragmento de todas mis miradas
que me observa frontal
ahí,
a tres pocos de aire.
aquel poquito mío de sonrisa que observo
en el labio extendido de mi amigo.
tantos pocos
y tanto pedacito viviendo y caminando
desprendido y prendido a ese todísimo
que me apoca, me crece,
sirviéndome de espejo reflejado...
no sé por qué de golpe me recuerdo
(mi mamá preguntándome con la voz como pétalos
sabiendo la respuesta,)
yo estirando la entonces pequeñísima
extensión de mis brazos:
"te quiero así de grande,
como el cielo de grande."
yo diminuta.

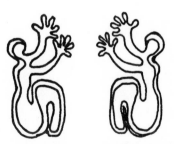

"vientre es otra manera de decir luz"
aurelio lima dávila

28

a la presencia de mi madre:
si hubiera sospechado este poema
hubiera compartido mi tristeza

a quí:
rodeada de un jamás que recorre tu nombre
[para siempre
y un silencio espantoso que acude desde el fondo
te recuerdo
desde la claridad que me ofreciste,
y el dolor se disuelve cotidiano y preciso
por mi alegría diaria,
por sobre las tristezas ajenas a tu ausencia
y la palabra "nunca" crece con la distancia
acosando mi nombre,
merodeándome;
y tus ojos perdidos
y tus queridas manos
y el olor de tu sangre
brillando como siempre por detrás de mis ojos
asestándome un golpe entristecido
me detienen el aire.
tropiezo con tu ausencia
en las esquinas de las calles,
en algunas canciones,
en las cucharas que a veces se me amargan
en el sillón pequeño de paja que recuerdo
en esas noches tristes que requieren consuelo
y en los días alegres de compartir palabras;
en plantas florecidas
y también en las cosas que nunca nos dijimos;
en mi niño pequeño
y el hueco que en el aire le dejó tu sonrisa.
¿hacia qué porvenir tristísimo y remoto
camina la ternura truncada y abatida,
la sorpresa indecible

que nunca se termina ni descansa?
los cuchillos del tiempo
dibujan la costumbre del dolor
y una lágrima fresca y desdoblada
cumple con su tarea.

lagartito,
lagartito tibio y húmedo
por ahí viene tu madre
con un cristal en la mano
para alumbrarte la sangre,
manantialitos doblados
en las gavetas del aire
para sembrarte de ríos
los aromas y las calles,
hace tiempo viene andando
en silencio y sin pararse
por los caminos más verdes
y más viejos de la tarde,
lagartito,
mi campanada espumosa y resonante.

niño mío,
   tú miras en mis ojos, ¿y qué ves?
      ¿ves mi cariño como una roca blanda cimentándote?
¿ves cómo tiemblo
por temor a ensuciar un poco tu mejilla?
¿ves cómo busco a tientas tu misterio
para poder sembrarte luces en las palabras?
¿ves mi palabra
enorme y balbuceante jeroglífico
que te rumora, dice,
que a veces te interrumpe tu sueñito de sol
y tu pequeña y gigantesca búsqueda?
¿ves cómo a veces ruedan piedras en mis palabras?
¿y ves cómo se ablanda y humedece
esa región segura donde moras?
si vieras
cómo quiero tejer las pajas de tu nido
qué caminos vislumbro
y qué pasos
para llegar sin ruido hacia la puerta
que quiero abrirte;
si vieras
qué cantidad de risas intercalo
en mi largo camino que no sabes
para vivir de frente tu dulzura.
niño mío:
si acaso ves una paloma triste,
sombras acumuladas,
o pedacitos duros,
no temas
que mi sonrisa es alta para ti
y el agua que me expande por tu risa
no podré contenerla ni escribirla.

32

homenaje

julia, yo ví tu claridad
y ví el abismo insondable de tu entraña.
   ví tus oscuras vísceras con estrellas dormidas.
ví cómo deshojabas el misterio
para quedarte a solas
con pistilos y estambres luminosos,
enjugando los pétalos con lágrimas.
yo ví con cuánto asombro adolorido
te enfrentabas al mundo.
yo ví cómo el silencio
no pudo amordazar tu lengua transparente;
lo silenciaste a golpe limpio de ola
poblándolo de células palabras,

ví cómo las palabras
son agua y son torrente por tu boca.
julia,
como viviste para la claridad, te fuiste desvivida;
tal vez yo pueda ser un mucho tu pariente,
sobrina, nieta, hija, hermana, compañera
por la vena de sangre, río luz que se expande
saltando por el tiempo;
de tu tumba a mi oído
de tu vida quebrada hasta mis pájaros
de tu oído silente hasta mi canción titubeante
de tus alas cortadas hasta mis cicatrices
de tus flores al viento como estrellas
desde nuestro dolor,
hay mucho espacio mudo de fronteras continuas
hay mucha sombra y mucha canción rota;
hay mucha historia.

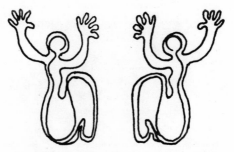

¿quién le puso al dolor
los cascabeles?

poema para una noche de amor

e ra una noche
de campanadas y palomas ágiles
tan muchísimo mil ternuras por recodo
tan montones de duende por abismo
tan tamarindo, tan árbol,
tan florecita agria y congelada
tan tan multiplicadísimo
y tan: ¿quién le puso al dolor los cascabeles?
la soledad exacta y diluída
en voy y vengo
sonreía aupada
hasta donde se quiebra el cristal enmohecido
hasta donde no existe la lágrima del musgo
porque sabe que su giro dolido
no tiene ya que ver con el ombligo
que le nubla su historia de manantial doblado,
de pliegues duros y dulcísimos,
de ave, de túnel florecido,
de incursiones de yerba.

desde la región luminosa,
desde el agua ventana por donde yo me asomo
hacia dentro del mundo;
en puntillas
sobre la piedra pulida
sujetándome al borde de las ramas,
abriendo puertecitas en el aire,
desdoblando pañuelos de viento
para enjugar un poco
ese sudor terrible por detrás de mi frente.
desde un punto cualquiera de luz indefinida
que yo llamo luciérnaga,
cucubano tiernamente voraz y que perfora
la sombra que me habita.
desde el agua ventana
desenganchando estrellas
para ver si me acomodo algunas
en los ojos.
en puntillas
a ver si alcanzo
una canción de pájaro colgando por el aire
para prestarle mi garganta.
desde la sombra perforada,
desde la humedad sonora de las lágrimas secas
desde el balbuceo diáfano
y desde la que soy cuando tú sabes:
te miro.

a proximadamente
hace cuarenta millones de años sombra
tu estrella devoró mis caracoles.
tuve que criar agua bajo fuego
para volver a ser aquello mismo;
dejando aparte el manantial herido,
esa estrella voraz
también fue estrella.

qué trascendencia,
  qué ruido de agua leve
  me sumerge el recuerdo silbante de tu origen?
aquella luz tan húmeda
que me alumbró los huesos más recónditos;
aquel aire dolido de risa y desconcierto
evocándome ágil
y como quien no quiere
el ave adolorida dormida por mi mano.
¡qué tartamuda y alta de amor
me sorprendiste!
angustiada de pájaros para poder decirte
de mis ojos recientes y poblados
de mi sombra raída por tu paso.
cómo reciennacían recodos imprevistos
con florecitas tibias, con agujas.
mientras tanto,
tu voz como un asombro de salitre
desgastando mi nombre distinto y empolvado,
designando de prisa
mi santo y seña futuro y milenario.
la canción esperada de células y soles;
de palabra encontrada.
los destellos de sombra
tramitando su paso inesperado.
la soledad profunda y agredida
sacudiéndose el musgo, retirándose,
volviendo hasta la orilla, reteniendo
las piedrecitas duras, levantándose
temblante y transparente
tropezando con hoyos como abismos,
corriendo alrededor,
besando la alegría,
regañando mi entrega,
definiendo su impulso y su extensión confusa
acercándose más hacia tu estancia
honda y definitiva.

mientras tanto tu voz,
como si siempre me hubieran conocido tus palabras.
había un manantial sonoro murmurando
mi destino de sangre rumorosa;
un filito brillante, un grito austero
una torre,
un navío ensangrentado,
una sombra de luz,
una paloma,
y ojos al unísono
enamorados de los vegetales.
un relámpago duro y asombrado
se detuvo en el aire estremecido
ya entonces,
y un poquito después del horizonte desdoblado
descubríamos árboles,
palabras,
los silencios delgados y espumosos,
el rumor inaudible
de tantos lagartijos infinitos,
la sal de las heridas,
las heridas,
las dulces ataduras con la yerba;
y salían al paso
montañas transparentes
edificios de espuma, soles negros.
entonces,
sin saber desde cuándo se fraguaba,
aquella mariposa de piedra:
perseguidora estática de lugares redondos,
de luces primitivas
y de sonrisas claras al acecho.
se reunieron las bocas invadidas,
las avideces tenues de las manos;
y todo aquello era
como un bullicio oscuro y repoblado
alternando distancias,

presagios de nube endurecida,
y canciones pulidas y perfumes.
lagarto,
mi lagarto terrible y amoroso:
qué abeja sigilosa
elaboró la miel equivocada,
qué pregunta sujeta de la pierna de un pozo
detuvo margaritas.
el sol desaliñado,
el agua herida que me nombra la lágrima
me sumerge entre todas las sombras de la historia;
cómo recuperarme de mi ausencia
fuera del territorio de tu labio,
de tu cerco de fuego elemental,
de tu murmullo sólido de círculo seguro,
del ruido de tu agua,
de tu agua.

fechas para
esta región:
  1: 1972,
  2: 1974 (rev. 1976),
  3: 1970,
  4: 1973,
  5: 1970.
  6: preñada y en 1969,
  7: 1971,
  8: 1973,
  9: 1965 (rev. 1975),
10: 1973,
11: 1975 y
12: 1968.

tercera
región

la cólera
correcta

"alternando cuchillos y palomas"

pensando en esta isla
que tanto nos duele

hermanos,
hace tiempo que una paloma triste
nos deletrea la guerra contra el árbol;
hace muchos caminos y uno solo
que la canción oscura y temerosa
nos detiene la lluvia en la garganta:
y tanta mano triste
nos da risa, o nos regula el llanto,
o nos hace llorar desordenadamente;
tropezamos
con pájaros viejísimos,
con espejos gastados con la prisa.
sobre cada crepúsculo escribimos
la historia que no ha sido,
el mar nos recomienda
siempre implacable y siempre
el dolor de la estrella vivida en la penumbra,
sobre cada crepúsculo,
sobre cada camino de esta tierra
que nunca comprendemos y esperamos,
bifurcamos sonrisas,
mutilamos
la misma luna que nos dicta el sueño,
los signos en la noche que declaran
el camino de agua del mar
oloroso y profundo
espantando el espanto cotidiano
de la cárcel de historia.
hermanos,
qué caravana oscura y sigilosa
de lagartos legítimos
nos anuncia los días de insectos abundantes
cuando el sol

y el horizonte largo que todos conocemos
el edificio claro
el olor de sonrisas redondas
se nos pongan de acuerdo.

44

el largo día del hambre

Un día terremoto
un día ausencia
un día de cuchara enmohecida
un gran payaso triste volteando su tristeza
en un sartén inmenso
pero no interminable.
hace muchos minutos
acumulados en todos los rincones
que este gran día hueso,
día pelambre, hueco silenciado,
día palabra hinchada y abolida,
día humano y tristísimo
que a pesar de la yerba y del amor flagrante
transita risa y seco
flaco como el final del hambre alimentada.
hace muchos minutos
—ignorados
por la continuidad del agua y la candela
acumulados
como hormigas remotas en axilas jadeantes
anclados en la frente de la arruga—
que los panes alegres se entristecen
con las manos ganadas con su sudor de tierra.
este gran día siempre,
acorralante acorralado
con su final marcado con un nunca futuro
cuando todas las muelas al fin serán usadas;
marcado en su trayecto de caracol voraz
por la paloma acuchillada
el tigre acuchillado
el hombre y la paloma
y la tierra y el pan acuchillados;
para un final redondo y expandido
para un día palabra con flores en las tildes

día sudor distinto y corregido,
cuchara reluciente,
ala correcta y tierra repasada.

Cuando todas las equivocaciones te gritan:
     no has llegado,
     que el viaje no termina,
¡qué sed inagotable te designa la audacia!
y cómo comprender los agujeros
que habitan implacables detrás de los carteles,
de anuncios cotidianos,
de cajetillas duras,
y es claro, que el hambre no es tan simple
como parece ser,
que es algo más que hormigas en el vientre
y está modificada con luces de colores.
la cuchara más próxima, tranquila
y como si tal cosa
te susurra milenios de historia y prehistoria,
la soledad campante por todas las esquinas
se acompaña y se ríe de sus invocadores
y te dice:
"habitante
¿por qué no exorcisamos con ojos y con bocas
con el pecho,
con sangre colectiva,
con el colectivísimo salto hacia lo imposible
inidividual y claro?"
la paz está a la vuelta
de una esquina lejana y predecible,
el ruido te silencia la canción más cercana
y la canción cercana que expande tu garganta
con chirridos y luces,
te asalta los costados
y viendo con las manos,
tocando con los ojos
te entregas a la audacia
de ser tranquilamente un caminante
que alternando cuchillos y palomas
fabrica un instrumento nacido para el fuego.

Cuando se ponen juntas
   todas las pocas cosas que se saben
   yo sé
que somos animales
que detestamos apasionadamente la soledad,
que para construírnos tenemos que juntarnos
y que tenemos manos que transforman los árboles,
las frutas,
los otros animales, las montañas, el agua,
un cérebro que acuña la historia milenaria
para ponerla al frente de los ojos de un niño
(pichón de gente,
cachorrito pensante que transforma
en montaña la arena,
en río caudaloso algún chorrito de agua,
en mariposa o pájaro la mano temblorosa).
yo también sé
que buscamos caminos
para poder juntarnos
como en el antes remoto que intuímos
donde nos construíamos sin soledad,
sin enturbiar los ojos de los niños
transformándolo todo para todos.
yo también sé
que a golpe y a porrazo
pero que no de golpe y porrazo
quitamos la maleza
para hacer el camino que queremos,
tan simple
como trabajar juntos sin que haya
un dueño del trabajo
que se alimente de toda la miseria;
como cambiarlo todo con las manos
para que quede libre su caricia
para poder amar mirándonos los ojos
sin tener que por fuerza preguntarnos
¿qué nos quitará este?

¿qué comemos mañana?
entonces ya sabremos
y nos quedará tiempo
para poder saber todas las cosas
que aún desconocemos.

aliadas del dolor todas las cosas
columpiándose secas y profundas
con su carga de historia.
la humanidad latiendo detrás de las cucharas,
los lápices tranquilos denunciando su origen
de cuchillito duro por los troncos,
de carbón, de palito rasgando por la arena
                                          [antiquísima
en balbuceos tímidos de soles y lagartos,
de flores, de cascadas, de animalitos tenues,
de fieras enemigas y hermanas de la sombra,
de montañas, de ríos,
de caras misteriosas como ruidos de noche
de culebra silente, de lunas, de palomas,
de poema invencible lanzado hasta mi oído
que inútilmente trata de oírlo como entonces.
¿dónde andará la mano
que dirigió su vida, su muerte hacia mi encuentro?
los vasos, los papeles, los libros con su estante,
las miradas de odio y amor, los anaqueles,
los árboles tumbados de cara contra el polvo,
las monedas redondas con su engaño
de haber estado siempre entre las manos,
y las manos
soñándose en la noche
forjadoras de luz.
la soledad, la luna sempiterna,
el polvo acumulado en los zapatos
acumulan el tiempo de golpe ante mis ojos.

2
temblando como un beso detenido en el aire
me entrego a la visión descomunal y triste
del vínculo perdido;
al deseo temible y necesario
de encontrarse otros ojos y otras bocas,

otras frentes con llama,
otros pies, otros brazos y pechos inminentes,
otro silencio florecido,
otro tú y otro yo multiplicado:
invitarlo a cazar al enemigo
de mil ojos y bocas
con su estruendo inaudible de máquina contínua;
a la esperanza húmeda y redonda
de amapolas y espadas en acuerdo
de golpear la muralla de palabra sin voz,
de descubrir la cólera correcta
sin bordes que te hieran el sueño alimentado,
ni el amor comprimido,
ni el agua que te alumbra
ni la candela transparente y precisa
que te anega los ojos.

3

aliadas de la luz todas las cosas
quisieran dar un salto hacia mis manos,
hacia mi piel,
hacia mi claridad
que las nombra de nuevo como un rito
cruzando mi garganta como un puente final,
definitivo
que llega por el tiempo hasta mi boca;
y mi silencio tartamudo dice:
flores, río, cascada, luz, lagarto,
papel, paloma, luna, sombra y agua,
vaso, lápiz, cucharas y peces de colores,
calle, yerba, edificio, sol, mar, nube,
piedra, vino, misterio, niño, árbol,
isla, lluvia, silencio.
y también dice guerra, ruido, hambre,
amor, amante, balas,
amigo,
compañero.

*fechas para
esta región:*
1: 1968,
2: 1970,
3: 1970,
4: 1972 (rev. 1976) y
5: 1970 (rev. 1976).

cuarta
región

este mon
tón de
cosas

apresuradamente
se buscan cosas hondas y se le miran
las comisuras a la muerte.
apresuradamente
se camina en silencio entre paredes
sin ver sus materiales,
se camina con ruido por dentro del silencio
sin detenerse a oír sus voces húmedas.
con muchísima prisa se desvive
y se desvive uno por vivir,
por triturar la ausencia de las cosas que existen
sin tocar nuestros ojos,
por encontrar canales de luz entre la sombra,
por tropezar con sombras en la calle
ganándose la vida con la muerte.
con tanta prisa
se amontonan palabras sobre huecos,
y se abren huecos sobre las palabras.
se seca uno el sudor:
de pronto descubres con asombro
que hay un zapato viejo en una calle,
tuvo su pie;
una muñeca rota sin su niña
que te mira desde aquel safacón
sin ajoro ninguno
porque murió su muerte imaginaria,
y más murió la gente construyéndola
(quién sabe de la niña.)
esa sombra de al lado
puede que tenga una mirada dulce
o hueca
y hasta ojos,
y quizás te ame un poco
o te odie sin saberlo
desde la impuesta lejanía de unos pocos de metros,
pieles intactas, sin estrenar, vehículo
cambiado por barrera.

miras aquella esquina:
una cuchara hermosa te sorprende.
otro objeto cualquiera
desprendido de su espacio en el aire
se instala en tu existencia recordándote
que un compañero humano lo hizo.
a veces,
una moneda incomprensible te sirve para algo.
alguien te tira palabras en la frente
con una cerbatana poderosa
con un taladro duro;
o desliza palabras en tu oído
mirándote de frente por detrás de los ojos,
es bueno verse el dorso de los ojos
en algún ojo ajeno aunque haya paja.
ya tal vez más despacio
le ves las comisuras a la muerte con el rabo del ojo;
aquella flor
parece conocida porque te dice cosas
te fijas en que hay tierra,
cosas bajo tus pies
además del progreso que se vive;
y te inventas un baile
para dar ese salto tenebroso hacia la luz,
hacia la risa y hacia la dolencia
para abolir las muertes cotidianas
para mirar la vida frente a frente
aunque tal vez le veas
solamente perfil en horizonte.
de golpe
entras en el amor
(tal vez apresuradamente)
te sorprendes amando muchas cosas
con una prisa diferente,
descubriendo canales de sombra entre la luz;
la soledad ajena, la de todos,
el hambre de compartir el tiempo de otro modo,

el hambre de saber,
el hambre hambre.
y cuando lentamente ves que miras,
la lágrima es más diáfana
la sonrisa se hace más certera;
se confunde uno menos o más
y más o menos
se funde con la audacia
tal vez el miedo atroz que da desconocer lo conocido,
conocer
que desconoces todo para siempre,
saber que sabes saber lo suficiente
para temblar de amor
para inventar palabras que desafían a la sombra
para mirar de cerca la mirada
la piel, los intestinos, la angustia, la alegría
del de enfrente.
¡con cuánta prisa se desvive!
cuánto cuesta
caminar muy de prisa lentamente.

Será la rosa?
¿será el trámite
de la sombra debajo de los pétalos?
¿será la rosa
o será la espinísima ferocidad de a diario?
¿será la rosa,
será tal vez el pétalo desnudo y transitorio?
¿será la rosa
con su gota de siempre en la mañana,
o será que una lágrima se encarga
de resfrescar las flores ilusorias,
o será que una gota de polvo
descansa en la mañana de un sol desaliñado
sobre una hoja imaginaria,
sobre una yerba
imaginariamente reptando por el polvo.
¿será que uno no entiende
que a esos hoyitos cogidos en la calle
de camino a la escuela
podría tal vez darles con ponerse de acuerdo
para inventarse jugar a ser abismos?
será que uno no entiende
que deshojarse a diario
no impide echar raíces,
ni detiene el imperio constante de la tierra,
ni el temblor de ser pájaro
tragando a bocanadas el aire por las alas.
será que uno no sabe
o que uno está seguro
de que el agua son flores diluídas;
¿será el tremendo recuerdo de la flor en el aire
como agua detenida?
¿será la rosa
olida y sorprendida por los ojos,
brutalmente fugaz;
tocante tocadora
tocada para siempre su armonía

por el recuerdo musgo de su historia
por el recuerdo feroz y demarcado
de su huella difusa y siempreviva;
por el recuerdo punzante y afilado detrás de cada espina
de cada esquina,
de cada ruina diluída en distancia y asombro?
será la rosa dura en pie de lucha,
será seguir hablando palomas,
diciendo caracoles,
haciendo verbos simples para mover los nombres,
como decir: la luna está en cuarto creciente
y uno en cuarto menguante;
y ayer, o en estos días por la calle
me encontré aquel tornillo viejo y largo
que parecía un quijote moderno y milenario.
¿será la hospitalaria región desconocida
que nos recibe con sábanas dobladas,
una sonrisa, un fuego elemental
alimentando el agua que alimenta,
que pone alfombras viejas para los pies recientes
de espinas y caminos?
¿será la rosa,
será el concreto armado,
será la tierra oliendo a simple lluvia,
será la garra
o el hueco de la mano,
la sombra devorando la luz que no termina,
el destello total
inaccesiblemente amenazado?
será que hay muchas noches con sus días en orden
recordando eficaces cómo andamos
alternando los pies,
y con las manos
y hasta con la cabeza
si es que nos cerca de lejos el peligro,
si es que nos enamoran la distancia y la sombra,
flores en trancisiones y aguas turbias;

si se nos aglomeran las espinas
para formar la lanza inacabable
que violente los pájaros,
que amenace los ojos que se nutren
de los animalitos;
o tropiece con todas las canciones
que tiemblan en el aire,
será, me digo yo,
que se nos acumulan en uno de esos días,
o en varios de esos días,
o un poquito tal vez todos los días,
el susto y el asombro de encontrarnos
con tanta cosa junta,
con tantísima cosa
que uno dice en un grito y una lágrima
que habita entre los huesos:
¿será la rosa?
será que uno no entiende,
serán esos hoyitos de que hablábamos,
será la tierra oliendo
la garra, o el meñique, o el hueco de la mano
el destello total, el agua fuego,
este montón de cosas, todo esto.

fechas para
esta región:
1: 1972 (rev. 1975) y
2: 1974 (rev. 1976)

epílogo

1as voces generales, al acecho

nota bibliográfica

Libros:

Homenaje al ombligo, Angela María Dávila y José María Lima (poemas y dibujos, 1966).
Animal fiero y tierno, poemario, 1977, Ed. Qease.

Antologías:
Antología de poetas jóvenes, ICPR, 1965.
La nueva poesía puertorriqueña. Editores: Luis Rosario Quiles, 1970.
La nueva poesía puertorriqueña. Editor: Iván Silén y Alfredo Matilla, 1972.
Poemario de la mujer puertorriqueña, Serie Literatura Hoy, ICPR, 1976.

Revistas:
Reintegro:
Arcadio Díaz Quiñones, "Yo también hablo de la rosa", Año I núm. 2, agosto 1980, pág. 9.
Arcadio Díaz Quiñones, "Yo también hablo de la rosa" (Cont.), Año I núm. 3, enero 1981, pág. 10.

Revistas (poemas):
Alicia La Roja
Casa de Las Américas
Guajana
Palestra
Zona de Carga y Descarga

Periódicos:
El Mundo:
"Tres poetas de la UPR en El Ateneo", 18 de mayo de 1963, pág. 48.
"Tres jóvenes poetas: Angelita Dávila, Francisco Martínez Ortíz y Juan Sáez Burgos", 20 de mayo de 1963, pág 7.
Jorge Luis Morales, "Tres poetas universitarios", Juan Sáez, Angelita Dávila, Francisco Martínez", 13 de julio de 1963, pág 20.
Juan Martínez Capó, "Animal fiero y tierno", Sección Lite-

raria, 17 de julio de 1977, pág 8-B.

Claridad:

José Emilio González, "La poesía de Angela María Dávila",
Suplemento *En Rojo*, 1 al 7 de julio de 1977.

Joserramón Meléndes, *Animal fiero y tierno*, Suplemento *En Rojo*, 5 al 11 de agosto de 1977, pág. 12.

índice

*La composición tipográfica
de este volumen se realizó
en los talleres de
Ediciones Huracán, Inc.
Ave. González 1002
Río Piedras, Puerto Rico.
Se terminó de imprimir el
día 25 de agosto de 1981 en
Pronto Printing
Santurce, Puerto Rico.*

*La edición consta de
2,000 ejemplares*